tía Melania

tío Raymond

Agatha Mistery

Primera edición: marzo de 2011
Novena impresión: mayo de 2015

Título original italiano: *L'enigma del faraone*

Textos: Sir Steve Stevenson
Editing: Mario Pasqualotto
Cubierta original e ilustraciones: Stefano Turconi
Adaptación del diseño y maquetación: Emma Camacho

Edición: Cristina Sans
Coordinación editorial: Anna Pérez i Mir
Dirección editorial: Iolanda Batallé i Prats

Proyecto editorial de Dreamfarm s.r.l., via De Amicis, 53 - 20123 Milan,
Italia
© 2010 Instituto Geografico de Agostini, S.p.S., Novara, por la edición
italiana
© 2011 Paulino Rodríguez, por la traducción
© 2011 La Galera, SAU Editorial, por la edición en lengua castellana
Derechos internacionales © Atlantyca S.p.A, via Leopardi, 8 - 20123
Milán, Italia. foreignrights@atlantyca.it, www.atlantyca.com

La Galera, SAU Editorial
Josep Pla, 95
08019 Barcelona
www.editorial-lagalera.com
lagalera@grec.com

Impreso en Limpergraf. Mogoda, 29-31 Polig. Ind. Can Salvatella.
08210 Barberà del Vallès

Depósito legal: B-34434-2011
Impreso en la UE

ISBN: 978-84-246-3642-5

Sir Steve Stevenson

El enigma del faraón

Ilustraciones de
Stefano Turconi

Traducción de Paulino Rodríguez

laGalera

PRIMERA MISIÓN

PARTICIPANTES

Agatha
Doce años, aspirante a
escritora de novela negra;
tiene una memoria
formidable.

Larry
Chapucero estudiante
de la prestigiosa escuela
para detectives Eye.

Mr. Kent
Ex boxeador y mayordomo con
un impecable estilo británico.

Watson
Pestilente gato siberiano
con el olfato de un perro
conejero.

Tía Melania
Vive en una suntuosa villa de
Luxor y... ¡cría dromedarios!

Destino:
Egipto - Valle de los Reyes

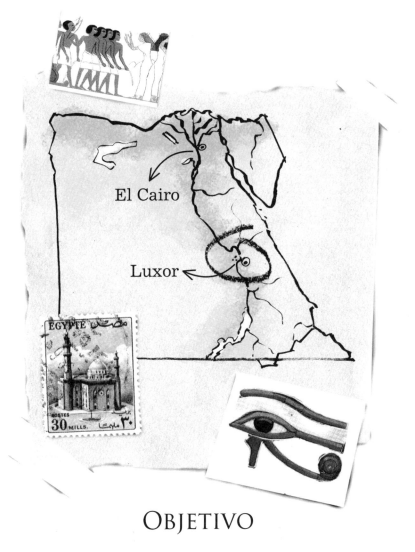

El Cairo

Luxor

Objetivo

Recuperar una antigua tablilla robada que contiene las indicaciones para llegar a la tumba de un faraón maldito.

Dedicado a mi excéntrica familia

Doy las gracias a Pierdomenico Baccalario y a Elisa Puricelli Guerra por sus incontables gestos de ánimo, las argucias técnicas y la asistencia moral. ¡Si un día se llega a considerar delito, seréis acusados de amabilidad, chicos!

Empieza la investigación

En lo más alto del Baker Palace, en el piso quince, había una gran terraza repleta de paneles solares. En el centro se alzaba un ático cuadrado y macizo como un búnker. Tras las ventanas de vidrios opacos se entreveía una única habitación en la que reinaba un desorden atroz: cables, monitores, antenas y aparatos electrónicos de última generación compartían el espacio con bolsas de basura, cajas de pizzas y ropa tirada de cualquier manera por todas partes.

El único habitante del ático era un chico de catorce años, larguirucho y de pelo negro, que roncaba despatarrado sobre un sofá. Por la noche,

había dejado conectados sus siete ordenadores para descargar datos provenientes de medio mundo y, en la penumbra, las luces intermitentes de los LED brincaban sobre su cara.

Fuera del apartamento, Londres permanecía envuelto en una neblina lechosa. Aquel año, el verano abrasaba a los turistas con una tórrida opresión, y el Támesis parecía una cinta de alquitrán reluciente.

No muy lejos del Baker Palace, el Big Ben daba las seis de la mañana.

Larry Mistery no oyó los repiques de la campana y siguió durmiendo como un tronco.

Él no era un joven madrugador. Prefería no hacer nada durante todo el día y empezar a estudiar cuando caía la noche, a ser posible con la minicadena sonando a toda pastilla. Sus notas escolares no dejaban lugar a la duda: Larry obtenía buenos resultados en informática y era un desastre en todo lo demás.

—En vez de asistir a esa escuela tan extravagante, podrías estudiar qué sé yo, ingeniería

—protestaba su madre—. ¡En la familia Mistery faltan ingenieros!

Larry, encogiéndose de hombros, le contestaba:

—Te olvidas del abuelo Angus, mamá. Trabaja en el CERN de Ginebra, estudia las micropartículas subatómicas, es genial.

Y la conversación acababa con su madre diciendo entre suspiros:

—Es un científico, no un ingeniero *normal*. ¡Todos los Mistery tenéis el vicio de dedicaros a las ocupaciones más estrafalarias!

Tras su divorcio, la madre de Larry hablaba de los Mistery como de una familia de chiflados; empezando por su ex marido, Samuel Mistery, campeón de curling, una disciplina olímpica practicada por muy pocos deportistas, y siguiendo con los demás parientes: ¡una interminable lista de extravagantes!

6.15: segundo intento. En un monitor se encendió el mensaje ALARMA ROJA, acompañado de las sirenas de *Star Trek* y de una voz metálica que repetía incesantemente: «¡A los botes salvavidas!».

Esta vez, la cara del chico fue el blanco de unos láseres estroboscópicos, como si la habitación se hubiese convertido en el puente de una astronave. Pero todo fue en vano: Larry dio media vuelta y hundió la cabeza en la almohada. Pocos segundos después volvía a roncar profundamente.

6.30: último intento. Primero sonó el despertador del teléfono, varias veces, y las persianas subieron zumbando, mientras la minicadena disparaba a todo volumen el éxito del momento. Después, el vecino golpeó la puerta gritando:

—¡Que esto no es una discoteca, gandul!

Pero nada.

Finalmente, a las 6.36, en medio de aquel infernal guirigay, se oyó un insignificante BLIP. Salía de un artefacto de titanio parecido a un móvil colgado de la pared por un fino cordel, justo sobre el sofá.

11

El débil BLIP sonó en los oídos de Larry como un cañonazo.

Sin levantarse, el chico alargó la mano y cogió el artefacto. Con un rápido movimiento, se lo puso ante los ojos medio cerrados. Apretó un par de botones y en la pantalla apareció un inquietante mensaje.

Larry lo leyó de un tirón, y sus ojos se abrieron como platos.

—¿Hoy? —gritó—. ¡Imposible!

Se levantó de un salto y miró a su alrededor. Un desastre. Recogió varios mandos y apagó alarmas, timbres y altavoces.

—No hay tiempo para ordenarlo todo. Tengo que..., tengo que..., ¿qué tengo que hacer? —exclamó.

Se sentó en el brazo de una silla y pulsó velozmente los teclados de los siete ordenadores, que volvieron a la vida con blancos destellos.

—¡Ah, oh! ¡Le enviaré un correo! —dijo en voz alta—. Pero ¿lo leerá a tiempo Agatha?

Consultó otra vez el mensaje que había aparecido en el artefacto e hizo una mueca de dolor.

—¡No, no puedo! ¡Si tienen mi correo bajo control, será el fin!

¿Adónde había ido a parar el móvil? Lo encontró entre unas cajas de hamburguesas vacías y recorrió febrilmente la agenda.

—Adams... Adrian... ¡Oh, Agatha, es ella!

Estaba a punto de marcar el número.

De repente se detuvo. ¿Y si habían colocado un micrófono en el móvil? ¡Siempre eran los mejores en estas cosas!

—No te pongas nervioso, Larry —susurró para sí mismo—. Piensa, reflexiona, medita: ¿cómo puedo avisar a Agatha sin que *ellos* se enteren?

Estuvo un minuto jugueteando con el cabello, y se decidió. Salió a la terraza, abrió la portezuela de la pajarera y cogió a su paloma de confianza.

—¡Ha llegado el momento de que te pongas en marcha! ¡Los primos Mistery te necesitan!

1. ¡QUÉ ORIGINALES SON LOS MISTERY!

Recorriendo a vuelo de pájaro la periferia londinense, el pálido color gris de los edificios se interrumpe con una inesperada mancha verde: más de una hectárea de floridos prados, plácidas fuentes, estanques con nenúfares, huertos botánicos y tranquilos senderos arbolados.

En el parque se alza una vieja mansión victoriana de tejado azul, la Mistery House, la residencia de Agatha Mistery, de doce años, y sus padres.

Agatha paseaba en zapatillas y bata, esquivando los chorros giratorios del sistema de riego. El olor a hierba recién segada le producía agradables cosquillas en la nariz.

Una nariz pequeña y respingona, herencia de la familia Mistery.

La muchacha llevaba en la mano una taza de té humeante que saboreaba a pequeños sorbos. Era de calidad Shui Xian, de color calabaza claro, con un regusto afrutado. En una palabra: excelente.

Avanzó a paso ligero por el camino y llegó a una glorieta; allí se sentó en un balancín de color lila y dejó la taza al lado de una pila de cartas. Eran publicidad, recibos pendientes de pago y las típicas y melindrosas postales de vacaciones de sus amigas. Agatha ni siquiera se tomó la molestia de leerlas.

De reojo, vio un paquete a los pies de la mesa. Estaba cubierto de sellos, matasellos y timbres postales.

¿Qué contendría?

—¿Mister Kent? —gritó Agatha.

El mayordomo de Mistery House asomó la cabeza por detrás de un macizo de hortensias, armado con unas gigantescas tijeras de jardín. Estaba cortando las ramas rebeldes, vestido con un esmoquin negro que parecía más adecuado para una noche de gala.

—Buenos días, miss Agatha. —Mister Kent agitó las tijeras e insinuó una sonrisa sin mover su mandíbula de granito. Era la máxima expresividad que se podía esperar de un ex boxeador profesional como él.

—¿Y esto? —le preguntó Agatha alzando el misterioso paquete—. ¿De dónde ha salido?

—De los Andes, miss Agatha.

—¡Entonces lo envían mamá y papá!

La muchacha no perdió más tiempo: se sentó con las piernas dobladas y empezó a desenvolver el paquete. Al hacerlo, observó más detenidamente la secuencia de timbres postales.

—El primer timbre es de Laguna Negra, en Perú —dijo en voz alta. Levantó la vista, sonriente—. Ellos están allí ahora, ¡a cuatro mil metros de altitud!

—Exacto, señorita.

—Y después viene el de la oficina de correos de Ica, la provincia andina —prosiguió ella, muy concentrada—. Luego Lima, la capital de Perú, y... ¡qué extraño! ¿Tú también lo ves?

—¿Qué debería ver, miss Agatha?

—Este matasellos, bajo el franqueo «Por avión». —Agatha se mordió los labios—. Pone Ciudad de México...

Mister Kent lo confirmó con un gesto de su cabeza.

—Y, finalmente, el último trayecto: ¡de Ciudad de México a Londres, autentificado en el aeropuerto de Stansted! —concluyó Agatha. Lo celebró con un sorbo de Shui Xian, y después sacó de un bolsillo su libreta y la abrió por una página en blanco—. ¿Tienes un bolígrafo? —preguntó al mayordomo.

Agatha nunca perdía la ocasión de anotar cualquier información que consideraba curiosa. Como todos los miembros de la familia Mistery, había decidido seguir una carrera fuera de lo común.

Quería ser escritora de novela negra.

Y no una cualquiera: ¡la mejor!

Así que entrenaba continuamente su prodigiosa memoria, consultaba enciclopedias sobre los temas más variados y, cuando podía, viajaba a todos los rincones del planeta. La atención a los detalles era su fuerte.

—¿Y el bolígrafo? —volvió a preguntar.

El mayordomo estaba bloqueado, paralizado, y la miraba fijamente con una expresión indescifrable.

—¿Ocurre algo, mister Kent?

Él sacó una pluma estilográfica dorada del bolsillo interior de su americana y se la entregó, tosiendo ligeramente.

—De verdad, no desearía parecer indiscreto... —empezó, avergonzado—. Pero ¿no abre el paquete de sus padres, miss Agatha?

—¡Ay, claro, qué despistada! —La dueña de la casa arrancó la cinta adhesiva y abrió la caja de cartón.

Mister Kent, obviamente, ya sabía que en su interior estaba el regalo para Agatha, que cumplía doce años, pero fue el primero en poner unos ojos como platos cuando se reveló el contenido.

—¿Un cacto? —soltó.

La muchacha tenía las mejillas encendidas.

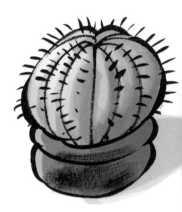

—¡Pero es un ejemplar muy raro! —exclamó como si estuviera en el séptimo cielo.

Junto con aquella especie de calabaza verde llena de espinas, en la caja había también una tarjeta de felicitación.

Agatha, tesoro:

Tu padre y yo estamos muy contentos por haber encontrado para ti la última planta que queda en el mundo de Indionigro petrificus. *Puedes plantarla en la parcela 42. Añádele un poco de tierra arenosa, pero nada de agua. ¡Ten muchísimo cuidado! Y no olvides ponerte los guantes de trabajo: las espinas contienen una poderosa toxina paralizante que produce una muerte aparente de unas cuantas horas.*

Un beso muy, muy fuerte,
tu madre

—¡Una toxina paralizante! Por las barbas de la reina, ¡justo lo que necesitaba! —se alegró Agatha.

Se despidió inmediatamente del mayordomo y, con el paquete bajo el brazo, corrió hacia el invernadero.

El sol resplandecía sobre la majestuosa estructura de acero con techo y paredes de vidrio.

Cuando entró en el invernadero, la temperatura se volvió enseguida asfixiante. Al menos, había quince grados más que en el exterior, y el aire no circulaba.

Agatha paseó la mirada a su alrededor: de la arena granulosa surgían tallos de todas las formas y medidas, algunos bajos y redondos como bolas de billar, otros esbeltos y con las ramas hacia arriba, simulando groseros maniquíes.

Parecía un panorama de película del Oeste.

—Parcela 37..., parcela 38..., aquí, ¡la 42!

Al lado de un grupo de chumberas había un cuadrado de terreno completamente libre. Agatha puso la caja delicadamente en él y fue a buscar un par de guantes. También cogió un libro de botánica y otro sobre venenos.

Nunca se sabe lo que puede pasar.

En cuanto se puso los guantes de trabajo, se le escapó la risa: debían de ser de mister Kent, pues como mínimo eran cinco tallas mayores que los suyos. Con prudencia, ató los cordeles a las muñecas.

Mientras observaba el *Indionigro petrificus* empezó a imaginar la trama de un libro sobre la «muerte aparente»: un asesino que escenificaba su propio funeral y regresaba a escondidas para vengarse.

—Ejem —intervino entonces el mayordomo—. Tenemos un pequeño problema.

—¿Un problema, mister Kent? ¿Qué tipo de problema?

—Se trata de Larry, señorita.

—¿Larry? ¿Qué quiere?

—Creo que debe verlo usted en persona, miss Agatha.

22

Agatha se quitó los guantes con un profundo suspiro y siguió al mayordomo fuera del invernadero, hasta situarse bajo un gran arce.

En una rama había una paloma que se removía inquieta. Y con razón.

Watson, el gato siberiano de Agatha, la observaba medio oculto entre los helechos y ya se relamía los bigotes.

—¡Ven aquí, Watson! —le gritó la chica.

El gato dirigió a la paloma una mirada como queriendo decir: «La próxima vez, te vas a enterar». Después se enroscó muy zalamero alrededor de las piernas de su pequeña dueña.

Agatha no se dejó ablandar. Trepó al árbol y cogió la paloma. Desató un pequeño cilindro de latón que tenía en una pata y lanzó al aire al ave, que se fue batiendo las alas con fuerza.

En el cilindro de latón había un papel enrollado. Aunque Agatha ya estaba acostumbrada a las sorpresas, ésta superaba todas las anteriores.

23

AGENTE LM14,
SALIDA HACIA EGIPTO 10.45 HORAS, AEROPUERTO
DE HEATHROW. PASAJES RESERVADOS. DETALLES
ENIGMA DURANTE EL TRAYECTO.

Sin bajar del árbol, Agatha miró la hora: acababan de dar las siete.

—¡Prepara las maletas, mister Kent! —gritó—. ¡Salida inmediata!

—¿Clima?

Agatha lo pensó un momento.

—Hará mucho calor, supongo —murmuró—. Yo diría que debemos llevar ropa de lino y algodón. Sahariana y pantalones cortos...

—Como desee, miss Agatha.

El mayordomo desapareció en el interior de Mistery House, con un famélico Watson pisándole los talones.

Agatha, en cambio, bajó del árbol y se dirigió directamente a su habitación para consultar el árbol genealógico de la familia. Se trataba de un enorme planisferio en el cual estaban señalados la residencia, la ocupación y el grado de parentesco de todos los Mistery, al menos de todos aquellos de los que se tenía noticia.

La muchacha puso un dedo sobre Egipto y encontró una tía en Luxor.

—¡Melania Mistery! —exclamó—. ¡Criadora de dromedarios!

Satisfecha, levantó el auricular del teléfono y comunicó a la tía Melania su llegada.

Media hora después, todos estaban preparados para salir. Agatha llevaba un conjunto colonial, y mister Kent, una graciosa camisa hawaiana. Cargaron en la limusina tres grandes maletas, el mortal *Indionigro petrificus* (siempre podía ser de utilidad) y a Watson, que inmediatamente se hizo un ovillo sobre las rodillas de su dueña.

Sólo quedaba una incógnita: ¿llegaría a tiempo Larry?

2. DESTINO LUXOR

Los padres de Agatha tenían alergia a los medios de transporte normales. Coleccionaban planeadores, alas delta y globos para recorrer el campo inglés, y cuando estaban en países lejanos preferían moverse a lomos de una mula, en todoterrenos desvencijados o en viejos barcos de vapor.

—Nosotros, los Mistery, somos gente aventurera —decía riendo su padre—. ¿Un avión de línea? ¡Ja, ja, ja! ¡No se puede comparar con el encanto de un transatlántico como el *Titanic*!

Agatha meneaba la cabeza.

—Papá, que el *Titanic* se hundió después de chocar contra un iceberg —le recordaba. Entonces, él daba dos o tres chupadas a su pipa y cambiaba de tema.

Agatha también disfrutaba con la aventura, pero, para ella, la comodidad de los modernos medios de transporte era indiscutible.

Sobre todo cuando tenía prisa.

Después del trayecto en limusina entre el tráfico londinense, Agatha y mister Kent encontraron los pasajes reservados a sus nombres en el punto de facturación y poco después subieron al lujoso Boeing 777 de Egyptair que volaría directo a Luxor. Inmersos en la frescura del aire acondicionado, se sentaron en una fila situada hacia el medio del avión y dejaron la caja de Watson en el asiento central, el reservado para Larry.

El gato siberiano estaba acostumbrado a volar y ya dormía como un tronco. Agatha hundió la nariz en sus lecturas. Había llevado consigo unos volúmenes de botánica y de venenos y diversas guías de Egipto. Empezó por el libro sobre venenos, donde buscó información acerca de la toxina del *Indionigro petrificus*. Mister Kent, en cambio, luchaba para encontrar una posición cómoda: el asiento no se adecuaba a su corpulencia de peso pesado. Al final, como decidió estirar una pierna en medio del pasillo, no paró de pedir excusas a los viajeros que tropezaban con ella.

Llegaron grupos de turistas, sobre todo familias que se iban de vacaciones y parejas jóvenes en

viaje de luna de miel. El avión se llenó enseguida, mientras el retumbo de los motores aumentaba sus decibelios con el paso de los minutos.

Faltaba poco para despegar.

Cuando el comandante dio la bienvenida por los altavoces, mister Kent arqueó las cejas.

—¿Y mister Larry? —preguntó preocupado—. ¿Dónde se habrá metido?

Agatha lo vio en la puerta de entrada.

—Está discutiendo con una azafata —suspiró—. ¡Típico!

Ambos aguzaron los oídos para escuchar la conversación.

—Le repito que no es un móvil, así que no tengo que apagarlo ni siquiera durante el despegue —le decía Larry a la joven asistente de vuelo—. Es una consola de nueva generación, ¡nada más!

—¿Tan pequeña? ¡Enséñemela! —ordenó ella ásperamente.

Resoplando, Larry desenganchó su artefacto

29

especial de titanio de la bandolera, apretó un botón y se lo entregó.

La azafata contempló incrédula la pantalla que centelleaba y pareció que se relajaba.

—¿También se puede jugar al Super Mario? —preguntó—. ¿Dónde se compra?

El chico recuperó el artefacto con una habilidad impresionante.

—Es una pieza única —le confesó con cierto tono burlón—. ¡No se vende!

—Pero..., pero...

—Lo siento... ¿Ahora puedo pasar?

Sin esperar la respuesta, Larry avanzó presuntuosamente por el pasillo. El truquito de la pantalla falsa de Super Mario había salido a la perfección. Se sentía como un auténtico agente secreto.

Agatha agitó la mano para saludarlo, pero él iba silbando muy ufano, distraído con sus pensamientos.

—¡Cuidado, Larry! —le advirtió su prima.

—¿Cómo, qué?

Demasiado tarde.

El chico no reparó en la pierna de mister Kent, tropezó con ella y dio con su cuerpo en tierra. Soltó un grito de dolor e, inmediatamente, sin levantarse, se puso a buscar algo bajo los asientos de los pasajeros.

—¿Dónde está? —gritó—. ¡No lo encuentro!

Agatha intentó calmarlo.

—¿Qué buscas, Larry? ¿Puedo ayudarte?

Con cara de consternación, el chico señalaba la bandolera y hablaba de forma atropellada.

—¡No encuentro el EyeNet! ¡Estoy acabado! ¡Adiós investigación!

Eso explicaba tanta aprensión.

El EyeNet era el artefacto ultratecnológico que la escuela de detectives entregaba a todos sus alumnos. Larry nunca se separaba de él; sin su aparato se sentía perdido.

—Ha ido a parar a la caja de Watson —intervino mister Kent.

Larry se precipitó a recuperarlo, olvidando un pequeño detalle: ¡él no le caía nada bien al gato! De hecho, en cuanto introdujo una mano en la jaula, Watson reconoció su olor y le mordió en un dedo.

—¡Ay! —chilló Larry. Pero por fin había recuperado su valioso juguete, y esto bastó para tranquilizarlo. Se hundió en su asiento con un profundo suspiro de alivio.

—Es dura la vida del detective —comentó Agatha con tono irónico.

—¡Y que lo digas, primita!

Poco después, el avión despegó y atravesó las pálidas nubes londinenses. El cielo adquirió muy pronto un límpido color azul. Recuperada la quietud, llegó el momento de hablar de la misión de Larry.

—Dame todos los detalles de la investigación, agente LM14 —atacó Agatha.

—Ay, sí, casi los había olvidado...

—¡Venga, primo!

Larry le habló del mensaje que había recibido aquella mañana desde la escuela. Tenía que hacer el examen de Prácticas Investigadoras: le daban tres días para descubrir a los culpables de un robo arqueológico que había tenido lugar en una excavación del Valle de los Reyes.

—Más concretamente, se trata de una tablilla relacionada con un misterioso faraón —añadió.

—¿Una tablilla? ¿Podrías precisar más?

—Sólo sé eso, Agatha.

—¿Seguro?

Larry se echó las manos a la cabeza, avergonzado.

—Bueno, aún no he comprobado todos los archivos, quería hacerlo contigo...

—¿Pues a qué esperamos?

—¡Ay, sí, vale!

El chico extrajo de su mochila los aparatos necesarios: tres pequeños auriculares y un cable USB. Conectó las diversas piezas al EyeNet y encendió la pantalla incrustada en el asiento que tenía delante. Después, accionó muy orgulloso su aparato.

En la pantalla apareció un distinguido señor, con bigotito y sombrero, que se presentó como el agente UM60.

—Luxor, antigua capital de Egipto, llamada en ˙otros tiempos Tebas —empezó con mucha calma el profesor de Prácticas Investigadoras—. Se alza sobre la orilla oriental del Nilo y es famosa por sus templos en honor al Sol. Pero usted, agente LM14, deberá ir a la orilla opuesta, donde se pone el sol y donde los faraones duermen en sus tumbas milenarias: la infinita necrópolis conocida como el Valle de los Reyes. ¿Recuerda la maldición de Tutankamón?

Larry se estremeció, mientras que Agatha se quedó hipnotizada con las imágenes que se sucedían en la pantalla. Parecía un curso intensivo sobre las maravillas arqueológicas de Egipto.

—¡Recuerde que es un examen, no un viaje turístico! —volvió a tomar la palabra el profesor—. ¡Descubra al culpable del robo, agente LM14, o me veré obligado a suspenderlo!

Larry dio un salto sobre su asiento. Tenía la frente empapada de sudor: los exámenes le ponían nervioso. Por eso, cuando emprendía una misión, siempre hacía que Agatha lo acompañase.

Mientras, el agente UM60 puso fin a su discurso.

—Obviamente, podrá consultar todos nuestros dosieres sobre Egipto, pero deberá recoger las pistas sobre el terreno. ¿Ha quedado claro?

En aquel momento se interrumpió la comunicación. El rostro del profesor fue sustituido por una desmesurada lista de archivos: mapas por satélite, mensajes codificados, vídeos de profundización…

—Es peor de lo que me imaginaba —gimió Larry.

Agatha le dio un golpecito en el hombro.

—No te desanimes —dijo con tono alegre—. ¡Nos divertiremos de lo lindo, ya lo verás!

Se quitaron los auriculares, y entonces se dieron cuenta de las furibundas miradas que les dirigían los demás viajeros.

La azafata apasionada por Super Mario también parecía furiosa.

—¿Quién de ustedes es el agente LM14? —preguntó cruzándose de brazos.

Silencio absoluto.

Larry se iba haciendo cada vez más pequeño y ocultaba los ojos bajo la visera de la gorra que se había puesto a toda pastilla.

—Soy yo —mintió mister Kent—. ¿Qué ocurre, señorita?

—¿No se ha dado cuenta de la que ha organizado?

—¿Qué intenta decirme?

—¡Este extraño documental ha invadido todas las pantallas del avión!

—¿De verdad?

—¡Nuestros clientes tienen derecho a ver la película que deseen, y le exijo que no se vuelva a entremeter!

Esta frase fue subrayada por estruendosas protestas.

Mister Kent no se inmutó.

—Como desee, señorita. Mis más sinceras disculpas.

Habían montado una buena.

En cuanto se fue la azafata, Agatha le dio las gracias al mayordomo por su rapidez y se volvió hacia su primo.

—¡Creo que tendremos que dejarlo para después, Larry! —dijo con una sonrisa.

—Tienes razón —se mostró de acuerdo él—. Examinaremos los documentos a la sombra de las pirámides. ¿Qué te parece?

Agatha lo miró divertida.

—Si no me falla la memoria, primito, ¡ni en Luxor ni en el Valle de los Reyes hay pirámides!

Larry hizo una mueca.

—No hay pirámides —dijo para sí mismo—. Realmente, soy un detective de andar por casa.

3. LA REINA DE LOS LIMONES

Ninguno de ellos se había imaginado ni por asomo el esplendor de Luxor. El aeropuerto era absolutamente nuevo, y desde los inmensos ventanales se admiraba una ciudad llena de colores y vibrante de vida.

También Larry, que había roncado durante cuatro horas seguidas, se frotó los ojos con estupor.

—¡Fantástico! —repetía cada cuatro pasos—. ¿Has visto la estatua del chacal? ¿Y aquella del faraón gigante?

—Larry, no son más que copias —lo frenó Agatha—. Las estatuas originales están en el templo de Luxor y en la cercana Karnak.

—¿Cómo lo sabes? —se ofuscó el chico.

—He leído un poco mientras tú dormías.

Él se volvió hacia ella, alarmado.

—No habrás consultado mi EyeNet, ¿verdad?

Agatha le enseñó un libro.

—No, Larry. A veces basta con una guía turística...

Seguidos por un silencioso mister Kent, que arrastraba perezosamente las maletas, los chicos superaron las puertas correderas y se encontraron en medio de una multitud oceánica: taxistas que tocaban el claxon alegremente, decenas de puestos llenos de túnicas y turbantes, quioscos de *kebabs* que impregnaban el aire con sus olores a especias...

En aquel batiburrillo de voces y colores, Agatha oyó que alguien gritaba repetidamente su nombre.

—¿Vosotros también lo oís? —preguntó.

Ni Larry ni mister Kent tuvieron tiempo para contestar.

En el centro de la plaza, al pie de un obelisco, había un escuadrón de dromedarios que habría llenado de envidia a Lawrence de Arabia. De pie sobre los estribos, una rechoncha mujer de unos cuarenta años agitaba vivamente una mano.

Agatha comprendió de inmediato quién era: su tía Melania.

—¡Estamos aquí, tía! —gritó utilizando sus manos a modo de megáfono.

Los ojos de Melania Mistery brillaban de alegría. Se apeó de la silla en un pispás y, abriéndose paso entre el gentío, se lanzó con los brazos abiertos hacia los recién llegados.

—¡Sobrinitos! —dijo emocionada—. ¡Por fin nos conocemos en persona!

Abrazó a Agatha y le plantó un ruidoso beso en la mejilla. Luego pasó al siguiente pariente.

—Ejem..., ¡yo, en realidad, soy el mayordomo! —dijo mister Kent, que se había puesto colorado y tenso con aquellos afectuosos gestos.

La tía interrumpió bruscamente su abrazo.

—Sí, ya me parecía a mí que estabas algo crecidito —dijo avergonzada antes de desviar su atención hacia el chico, que se ocultaba detrás del ex boxeador—. Entonces, ¿tú eres Larry Mistery?

—Sí, señora —contestó él mientras reculaba.

La tía Melania soltó una carcajada y le acarició la cabeza.

—¡Que tímido eres, sobrinito! ¡Lástima, porque tienes pinta de rompecorazones!

Larry se puso rojo como un tomate.

—¿No tenéis hambre? —La tía cambió de tema, impetuosa como el Nilo en plena crecida—. Venga, entregad el equipaje a mis sirvientes y subid a las sillas. ¡He preparado un banquete especial para las grandes ocasiones!

Agatha asintió y se catapultó a la grupa de un dromedario. Más difícil resultó cargar a Larry y a mister Kent: al primero porque no se fiaba del enorme animal, que no paraba de soltar coces; al segundo, porque pesaba como una mole de granito.

La caravana avanzó lentamente entre el tráfico de la ciudad y suscitó las más furibundas protestas de los conductores de coches. Luego se desvió por una calle flanqueada de palmeras y se detuvo frente a una imponente verja decorada con marquetería egipcia.

Habían llegado a la suntuosa villa de Melania Mistery. En el patio, los chicos se refrescaron con el agua de una fuente y siguieron a su tía hasta el comedor, que parecía una tienda real: por el suelo había cojines recubiertos de telas de calidad y se respiraba un agradable olor a incienso.

Watson se paseaba muy concentrado, olfateando el rastro de otros gatos.

—Hoy os llevaré a visitar el templo de Luxor —dijo la tía Melania mientras mordisqueaba un dátil—. Y mañana iremos a Karnak. ¿Os gusta el programa?

A Larry se le atragantó una cucharada de cuscús y se puso a toser.

—Tía, discúlpanos —se apresuró a ayudarlo Agatha—. Larry y yo tenemos previsto salir de inmediato hacia el Valle de los Reyes.

—Ésta era la tercera etapa del programa, ¡pero podemos hacerlo como prefiráis!

Larry bebió un largo trago de agua y se dio unos golpecitos en el pecho.

—Por desgracia, tenemos que ir solos —intervino de nuevo su prima—. Me refiero a nosotros dos, mister Kent y Watson.

Melania comprendió que allí había gato encerrado.

—¡Una aventura al perfecto estilo Mistery! —se alegró—. Entonces, ¿adónde tenéis que ir?

—A la tumba 66 —contestó Larry, recordando un detalle de su misión.

—¿Qué? —se sorprendió la tía Melania, que se puso en pie—. ¡La tumba 66 no existe!

Agatha le propinó a Larry un suave codazo en las costillas.

—Eso no me lo habías dicho, primo —gruñó—. ¡Sabes que tienes que ponerme al corriente de todo!

—Estaba en un archivo al que he echado una ojeada antes de salir.

La tía Melania dio unas palmadas para llamar a un sirviente, el cual acudió con un mapa del

Valle de los Reyes que desplegaron en el centro de la sala como si fuese una alfombra.

—¿Lo veis? —dijo la tía—. Sólo hay sesenta y tres excavaciones conocidas y otras dos pendientes de autentificación. En total, suman sesenta y cinco.

—¿Puedo poner la tele? —preguntó Larry, que se estaba alejando a hurtadillas.

—Sí, tú mismo —contestó Melania mientras mostraba a Agatha y a mister Kent la disposición de las tumbas.

Mientras, Larry conectó la EyeNet al televisor, dio inicio a una grabación en blanco y negro y subió el volumen con el mando. Todos se volvieron hacia el aparato, incluido Watson.

—No sabemos exactamente a quién pertenece —decía un viejo egiptólogo con acento francés—. Suponemos que se trata de la tumba de un faraón del Imperio Nuevo que cayó en desgracia y no se registró en las listas reales. Podría tratarse de un descubrimiento revolucionario, pero sin la tablilla no podemos confirmarlo. ¡Necesitamos ayuda inmediata!

A continuación, en la pantalla apareció el itinerario que llevaba a la tumba número 66: rodeaba la zona de los templos y trepaba por los ásperos cerros.

—¡He aquí mi misión! —exclamó Larry—. ¡Ahora todo está claro!

La tía Melania parecía perpleja.

—¿Una misión? —dijo—. ¿Qué significa eso?

Esta vez, Agatha se sintió obligada a darle explicaciones.

—Larry estudia en la Eye, la famosa escuela de detectives y agencia de investigación. Hemos venido para ayudarlo a pasar un examen.

La tía Melania no se entretuvo más e hizo que acudieran una decena de sirvientes.

—¡Preparad las vituallas! ¡Ensillad los tres dromedarios más rápidos! ¡Reservad un barco! ¡Buscad cámaras y micrófonos! —ordenó casi sin aliento.

49

—¿Cámaras y micrófonos, tía? —le preguntó Agatha—. ¿Para qué los queremos?

La tía Melania se apoyó en una columna y se frotó la frente.

—El Consejo Supremo de las Antigüedades Egipcias no os dejará rondar a vuestras anchas por el Valle de los Reyes —explicó—. ¡Se han restringido mucho los permisos y hay guardias por todas partes!

—Bueno, pero ¿qué tienen que ver las cámaras con todo eso?

—Podríais aparentar que sois un equipo de la tele que está grabando un documental sobre Egipto. —Se interrumpió un momento, indecisa—. ¿Qué te parece, Agatha?

La muchacha había quedado admirada por aquel plan tan ingenioso.

—¡Muy buena idea, tía! —aprobó—. ¡Rápido, venid todos aquí!

Larry y mister Kent se pusieron firmes.

—Bien, Larry será el operador de cámara —decidió Agatha—. Mister Kent hará el papel de rico productor.

—¿Y tú? —preguntó su primo.

—Micrófono, bolígrafo y libreta: seré la presentadora —dijo ella sonriente.

Melania Mistery aplaudió emocionada.

—¡Éste es el espíritu que necesitamos! —comentó.

Tardaron más de una hora en encontrar los aparatos y cargarlos sobre los dromedarios. Larry aprovechó ese tiempo para imprimir diversos documentos que entregó a su prima: él temía caer del dromedario y perder informaciones muy valiosas.

Después, todos se dirigieron a los dormitorios para cambiarse de ropa. Cuando se presentaron ante la tía, parecían un grupo de expertos reporteros televisivos.

—¡Excelente! —exclamó Melania—. Ahora os acompaño al barco. ¡Así podréis cruzar el Nilo!

51

Pero en el patio les esperaba una desagradable sorpresa: Hasán, uno de los criadores de dromedarios al servicio de la tía, estaba sentado en el borde de una fuente, inmóvil como una estatua.

Sus compañeros chillaban aterrorizados y ni siquiera se atrevían a tocarlo.

—¿Qué ha ocurrido? —preguntó Melania Mistery.

—¡Una maldición! —contestaron a coro—. ¡El castigo de la serpiente Apofis!

Agatha sospechaba lo que podía haber sucedido. Examinó las manos de Hasán y descubrió que el criador tenía una fina espina clavada en una palma.

—*Indionigro petrificus* —murmuró—. ¡Hasán ha tocado el cacto cuando lo colocaba en la alforja!

Por suerte, el libro sobre venenos sugería un antídoto contra la toxina paralizante.

—Tía, ¿tienes un par de limones? —preguntó la muchacha.

Melania salió como un rayo y volvió a aparecer con un cesto lleno de cítricos.

Agatha exprimió unas cuantas gotas sobre los labios de Hasán y después usó la corteza para arrancar la espina.

Como por arte de magia, el criador se reanimó, y lo primero que hizo fue desperezarse como si acabase de despertar.

—¿Qué me ha pasado? —preguntó aún aturdido.

Sus compañeros saltaron de alegría, levantaron los brazos al cielo y entonaron un canto en honor de Agatha.

—¿Qué dicen, tía?

Melania Mistery sonrió complacida.

—Creen que eres la reencarnación femenina de Osiris: ¡la reina del más allá, capaz de despertar a los muertos!

—¿La reina del más allá? —comentó divertido Larry—. En todo caso, ¡eres la reina de los limones!

53

4. Vigilados especiales

—La tía Melania es realmente una persona original —reflexionó Larry, acodado sobre la barandilla del barco y mirando las fangosas aguas del Nilo.

—¿Y eso te sorprende? —le contestó Agatha—. Es una Mistery como nosotros. ¡Todos tenemos las mismas inclinaciones!

—Ah, sí... Pero mira que escoger precisamente este barco... ¿Qué te parece?

—Apestoso, oxidado y muy lento: ¡seguro que a mis padres les encantaría!

Ambos rieron mientras observaban la chimenea de la vieja embarcación, que escupía bocanadas de negro alquitrán.

Antes de despedirse, la tía Melania los había tranquilizado:

—El *Duat* no llamará la atención. Atracará en un muelle abandonado, cerca del camino que figura en vuestro mapa. ¿Estáis contentos, queridos sobrinitos?

Larry había mostrado una ligera sonrisa de circunstancias.

Agatha, por su parte, había cogido un diccionario de egipcio antiguo y les había informado que *Duat* significaba «más allá». Una noticia que todavía había desmoralizado más a Larry.

El medio de transporte dejaba mucho que desear, pero al menos los llevaría a su objetivo.

—Bueno, propongo que recapitulemos la información que hemos recogido —dijo Agatha mientras abría la sombrilla—. ¿Estás de acuerdo, primo?

Larry asintió con decisión.

Se sentaron al lado del recinto de los dromedarios y consultaron con calma los documentos impresos.

Mientras, mister Kent se dedicaba a perseguir a Watson por el puente del barco. El gato pasaba como un rayo entre las piernas de los marineros y se ocultaba en los rincones más inverosímiles.

—A ver, tenemos un dosier sobre el egiptólogo de la grabación —empezó Agatha.

—El profesor Marchand, ¿no?

—August Marchand, de la Universidad de Mulhouse, Francia. Según estos documentos, su equipo está formado por dos ayudantes, uno polaco y otro alemán, y veintiún excavadores egipcios —continuó ella, humedeciéndose el dedo para pasar las páginas.

De repente topó con una curiosa fotografía que sacó del fajo de papeles.

En ella aparecían cuatro personas de cuerpo entero, con miradas orgullosas y satisfechas. A sus pies aparecía una tablilla de arcilla llena de minúsculos jeroglíficos tallados con un pequeñísimo cincel.

Larry pasó revista a las personas de la foto.

—El segundo por la izquierda debe de ser el profesor Marchand; se le reconoce por la barba blanca —rio—. ¿Me dices los otros nombres, Agatha?

—A ver, a ver... —indagó ella con calma, echando hacia atrás un mechón de pelo—. Tenemos al doctor Wroclaw, polaco, experto en jeroglíficos, y al doctor Frank, alemán, geólogo.

—Me juego lo que quieras a que Wroclaw es el tipo rubio, mientras que el gordito es Frank.

—Estoy de acuerdo. Pero ¿quién es el cuarto hombre? —preguntó Agatha, casi hablando para ella misma.

La túnica y la larga barba en punta le daban un aspecto especialmente siniestro: parecía un sacerdote del antiguo Egipto.

—¡Caramba, qué mirada más magnética! —dijo Larry, estremeciéndose.

Mientras, Agatha repasaba las hojas en busca de indicios sobre la identidad de aquel hombre.

—Me temo que no descubriremos quién es hasta que no lleguemos a la tumba 66 —dijo rindiéndose. Dibujó en su libreta un gran interrogante y debajo de él escribió: CUARTO HOMBRE—. Pasemos a la tablilla, ¿ves algo en ella? —continuó.

—Que es muy frágil, parece hojaldre —observó Larry—. ¿Cómo habrán podido robarla sin romperla?

—¡Muy buen análisis, primo!

Agatha volvió a escribir TRANSPORTE DE LA TABLILLA en la libreta.

—¿Alguna otra observación sobre la tablilla? —preguntó después.

—Ah, me parece que no...

—Fíjate bien, Larry.

Él cogió la foto para observarla de cerca. Se rasco la barbilla y entrecerró los ojos.

—Sí, hay algo que no cuadra en los jeroglíficos —murmuró dubitativo.

—¡Muy bien, Larry! He abierto un cajón de mi memoria y me parece que... —Agatha se interrumpió, pensativa.

Larry estaba pendiente de sus labios: la prodigiosa memoria fotográfica de su prima era legendaria en la familia Mistery.

—Hum —continuó Agatha—. En el *Compendio sobre los jeroglíficos* que leí hace unos meses... —siguió reflexionando—, me parece que...

—¿Qué te parece?

—Tal vez me equivoco, ¡pero creo que los jeroglíficos de la tablilla están escritos al revés!

Para demostrar su teoría, Agatha cogió el estuche de maquillaje de una alforja y sacó una polvera de él.

Larry estaba desconcertado.

—¡No me digas que vas a maquillarte justamente ahora!

—No, burro —le respondió Agatha guiñándole un ojo—. ¡En los estuches de las señoras hay un surtido de objetos muy útiles!

Puso la foto frente al espejo de la polvera e invitó a Larry a que la mirara.

En la imagen reflejada, los jeroglíficos parecían estar escritos en el sentido correcto.

—Un buen desafío, ¿no crees? —dijo Agatha, apoyando la barbilla sobre los dedos cruzados—. Quien haya trazado esos jeroglíficos, pretendía que resultaran incomprensibles.

Larry se puso en pie de un salto, enardecido.

—¡Pues claro! —afirmó—. Esto explica por qué parecía tan vago el profesor Marchand en la grabación...

—¡No les dio tiempo a traducir la tablilla! —concluyó Agatha por él. Luego anotó en su libreta: JEROGLÍFICOS AL REVÉS.

—Bien, ¿continuamos? —dijo acto seguido.

Pero en aquel momento en el *Duat* se desencadenó cierta agitación entre los marineros, y el motor se detuvo de golpe con un chirrido metálico.

Mister Kent, que llevaba a Watson en brazos, se unió a Agatha y a Larry, y exclamó:

—Miss Agatha, ¡problemas a la vista!

—¿Qué ocurre?

—¡Un control de la policía portuaria!

Un guardacostas pasó zumbando ante ellos y los salpicó con la hélice de su motor. Después se detuvo al lado del barco y varias metralletas los apuntaron desde la torreta.

Larry se puso blanco como el papel.

—¡La tía Melania nos prometió que todo iría como una seda! —gritó.

Luego se sucedieron unos momentos muy agitados.

Un hombre de uniforme subió al *Duat* con el fusil montado.

El capitán salió de su cabina y se dirigió hacia él por el puente. Tenía pinta de duro: rostro delgado, nariz aguileña y modales expeditivos. Alejó a los marineros con un chasquido de dedos y se puso a hablar tranquilamente con el severo policía.

El hombre de uniforme comprobó los permisos de navegación, echó un rápido vistazo a la carga y, finalmente, señaló a Agatha y compañía.

—¿Dónde hemos metido los carnés de periodistas? —refunfuñó Larry—. ¡Si no los encontramos, nuestra tapadera se va a pique!

El capitán siguió hablando en voz baja y luego los llamó con un elocuente gesto de la mano.

—¡Venga, larguémonos! —exclamó Larry con el corazón desbocado—. ¡Nos meterán en la cárcel!

Agatha lo agarró muy decidida por la camiseta.

—¡Por las barbas de la reina, Larry! ¡Un poco de valor! —lo incitó. Tuvo que arrastrarlo a la fuerza hasta ponerlo delante del policía, que curiosamente los recibió con una divertida expresión.

—Quiere que lo grabe la tele —dijo el capitán—. Haced lo que os pide y mantened la boca cerrada; total, no habla vuestra lengua.

—¡Ah, oh, enseguida! —respondió Larry, enloquecido.

Cogió la cámara y encuadró al policía en diversas poses de estrella de Hollywood. Tras una última sonrisa con los pulgares hacia arriba, el hombre volvió de un salto al guardacostas, que se alejó retumbando.

El capitán lanzó un gruñido en dirección a Larry.

—La policía buscaba a una banda de contrabandistas. No seréis vosotros, ¿verdad?

—¡Ah, por supuesto que no! —contestó él con un hipo.

—Pues la próxima vez acuérdate de quitarle la tapa al objetivo, chico —concluyó ásperamente el capitán. Después encendió un cigarro, le dio una larga calada y, balanceándose, volvió a su cabina.

Mientras Larry trasteaba con la cámara, lamentando su distracción, Agatha explicó al ma-

yordomo las conclusiones a las que habían llegado. Mister Kent la escuchó con atención y examinó la fotografía.

Finalmente, a última hora de la tarde llegaron a la otra orilla del Nilo.

El *Duat* había superado la zona de los grandes templos y había llegado a las colinas situadas al norte de ellos. Atracó en un embarcadero de madera podrida, recubierto por una vegetación salvaje.

Hacía años que nadie lo utilizaba.

Los tres compañeros de aventura (más tres dromedarios y un gato) descendieron rápidamente del barco y se encontraron en una explanada cubierta de zarzas y surcada por fangosos arroyos.

—Creía que en Egipto había desierto —dijo Larry, ligeramente desorientado.

—El desierto empieza al otro lado de las cadenas montañosas —explicó Agatha—. En torno al Nilo, las tierras son fértiles, sobre todo durante el período de las crecidas estivales.

—¿Y cómo lo sabes tú? —Pero enseguida se dio un golpe en la frente—. Ah, claro, como eres la reencarnación de Osiris… —dijo en plan de burla.

—No te hagas el gracioso —respondió ella riendo—. Simplemente, he memorizado el mapa del territorio.

—¡Tú y tus famosos cajones de la memoria! —resopló su primo—. Entonces, ¿sabes dónde está el camino?

Agatha exploró la ciénaga con la mirada y después abrió los brazos en señal de rendición.

—Parece todo llano y fangoso —murmuró desilusionada.

Mister Kent, que la doblaba en altura y tenía vista de águila, señaló una suave colina que no estaba muy lejos.

—Me parece que hay un camino en aquella colina —dijo acalorado.

—Excelente, mister Kent —lo felicitó Agatha—. Sin duda, es nuestro objetivo.

—¿Estás segura, prima? —preguntó Larry.

Ella no respondió: ya había montado en el dromedario con la habilidad de una amazona experimentada. Lo hizo correr a la máxima velocidad, tanto que a Larry y a mister Kent les costó seguirla.

Avanzaron por un paraje desolado durante casi media hora y después tomaron el camino que discurría por las accidentadas colinas que cerraban por detrás el Valle de los Reyes.

Agatha tuvo que detenerse repetidas veces para esperar a sus amigos; aprovechó cada ocasión para examinar el paisaje con unos pequeños prismáticos.

El camino subía y bajaba constantemente, con encrucijadas, curvas y pasos peligrosos.

—La mala noticia es que nos podemos perder —dijo la chica, dándose unos golpecitos en la nariz con el dedo.

—¿Y la buena? —resolló Larry detrás de ella.

Agatha se metió los prismáticos en el bolsillo de la blusa de color caqui.

—Al parecer, ningún guardia nos molestará —afirmó mientras reemprendía la marcha.

Pero se equivocaba.

Y mucho.

Al oscurecer, mientras se encontraban en una estrecha garganta consultando el mapa para orientarse, oyeron unos ruidos que hacían eco. Levantaron la vista y vieron unos cañones de fusil que sobresalían entre las rocas.

—¡No os mováis! —gritó alguien.

Al oír aquella orden perentoria, Larry dio un bote en su silla.

—Éstos lo dicen en serio —murmuró aterrorizado—. ¡Ahora sí que nos hemos metido en un buen lío, Agatha!

5. La tumba número 66

Una decena de hombres entraron en masa en la garganta. Iban armados, pero ninguno de ellos vestía uniforme de policía o militar. ¿Quiénes serían? ¿Acaso saqueadores de tumbas?

—Tengo un mal presentimiento —murmuró Agatha—. Conservemos la calma y escuchemos qué quieren, ¿de acuerdo?

Larry y mister Kent asintieron sin hablar.

En la semioscuridad del atardecer, las linternas proyectaban conos de luz tan finos como la hoja de un cuchillo. Cuando iluminaron a Larry, éste tiró bruscamente de las riendas de su dromedario al mismo tiempo que levantaba las manos.

—¡Somos inocentes! —exclamó—. ¡Nos rendimos!

Aquel imprudente movimiento hizo que se desbocara el animal, que soltó una coz y arrojó a Larry de su grupa junto con la silla, las guarniciones y las alforjas.

—¡Ostras, menudo golpe! —gimió el joven detective.

Una voz con acento francés interrumpió aquel guirigay:

—¡Ayudad al chico, *fellah*!

La frase la había pronunciado un hombrecito de barba blanca: era el viejo egiptólogo de la grabación, el profesor Marchand.

Agatha bajó de la silla y se acercó al estudioso con paso decidido.

—Hemos venido a buscar la tablilla desaparecida, profesor —lo informó.

La expresión del profesor reflejó turbación.

—¿Cómo dice? —preguntó ansioso—. ¿Está aquí el agente LM14?

—A su servicio —contestó mister Kent mientras se apeaba del dromedario.

Enredado todavía en las cuerdas, Larry protesto vivamente.

—¿Qué? ¡Eh, no, aquí hay un error! —intentó decir. Pero el profesor Marchand ya estrechaba la mano del mayordomo.

—Me alegro de que haya venido, agente LM14 —dijo el estudioso con voz de alivio—. Discúlpenos por la pésima acogida; han sucedido cosas muy extrañas en estos últimos tiempos.

—No se preocupe —respondió mister Kent, cuadrándose.

—Por cierto, él es mi especialista en jeroglíficos, el doc...

—Mucho gusto en conocerlo, doctor Wroclaw —se adelantó mister Kent al relacionarlo con la fotografía. En persona, el joven parecía aún más pálido y mostraba unos hombros caídos y unos ojos líquidos.

—El gusto es mío —replicó el estudioso en voz baja, intimidado por la inmensa mole del mayordomo. Luego examinó a Agatha y a Larry—. ¿Y quiénes son los dos chicos? —preguntó perplejo.

—Los detectives también tienen buenos ayudantes —sentenció mister Kent.

—Por supuesto —intervino Marchand, frotándose las manos de lo contento que estaba. Luego se dirigió al grupo de ayudantes—: deprisa, *fellah*, escoltemos a nuestros invitados hasta el campamento base —ordenó.

Cuando la comitiva se puso en marcha, Larry corrió tras Agatha, protestando enérgicamente.

—¿A qué viene esa mentira? ¡El auténtico detective soy yo!

—Baja la voz, primo.

—¿Quieres explicarme qué se os ha metido en la cabeza, por favor?

—Es muy sencillo —respondió ella—. Si mister Kent los distrae, nosotros podremos movernos con toda libertad.

Larry lo rumió durante unos instantes, con la vista puesta en las primeras estrellas de la noche.

—Tienes razón —admitió a regañadientes—. El plan puede funcionar...

—¿Quieres que lo comprobemos? —le propuso Agatha.

—¿Eh? ¿Comprobar qué?

—Escúchame bien. ¿Tu EyeNet puede detectar fuentes de calor?

—Puedo mirarlo, ¿por qué?

—Activa el escáner cuando lleguemos al yacimiento arqueológico —dijo ella—. Según nuestros datos, debería haber tres estudiosos y veintiún excavadores, más el cuarto hombre de la foto; en total, veinticinco personas.

Larry cogió inmediatamente el EyeNet y pulsó una serie de botones.

—Ya lo he comprendido: quieres saber si falta alguien —murmuró con tono de conspirador.

—Si ha habido un robo y se han llevado la tablilla del campamento, tiene que haber ladrones, ¿no? —respondió Agatha, sonriendo.

Siguieron caminando durante otro cuarto de hora, treparon por un cerro arenoso y finalmente llegaron al campamento base.

Se encontraba en un valle con forma de embudo, encerrado entre paredes cortadas a pico. A la

tenue luz de la luna, las tiendas de los excavadores parecían fantasmas fluctuantes.

El profesor Marchand condujo a sus invitados al pabellón reservado para los jefes de la expedición.

En la entrada de la cocina se toparon con el tercer egiptólogo, un joven rechoncho que tenía la boca manchada de helado.

—Encantado de conocerlo, doctor Frank —dijo enseguida mister Kent, ahora asumiendo perfectamente su papel de agente secreto.

El geólogo se quedó de piedra y tragó de un solo bocado lo que quedaba de un helado de chocolate.

—¿Alguien tiene hambre? —chapurreó—. Yo estaba picando un poco antes de la cena...

Le respondió un coro de aprobación.

Mientras los dos ayudantes recogían una mesa repleta de papeles e instrumentos de cálculo, Marchand cogió por el brazo al mayordomo y le mostró el laboratorio.

Agatha se acercó a su primo.

—¿Salen las cuentas? —le susurró al oído.

—Las manchas de color son algo confusas —murmuró Larry—. Así, a ojo, he calculado veintitrés: ¡parece que faltan dos personas!

—Interesante, muy interesante —observó Agatha.

Poco después se difundió por el aire un olorcillo a salchichas de Fráncfort asadas, que sirvieron con una guarnición de patatas crujientes.

Cuando regresaron Marchand y mister Kent, todos se sentaron a la mesa y cenaron en medio de un silencio tenso por la espera. Watson se colocó en la falda de su dueña y, rápido como el rayo, robó media salchicha de Fráncfort del plato de Larry.

El chico ni se enteró.

Agatha decidió que había llegado el momento de romper el hielo.

—¿Buscaban ustedes a los dos excavadores desaparecidos cuando nos han encontrado? —preguntó cándidamente.

Los estudiosos se intercambiaron unas asombradas miradas.

—¿Cómo saben eso de los *fellah*? —preguntó Marchand, limpiándose la boca con nerviosismo—. ¡No hemos hablado de ello con nadie!

—Es nuestro trabajo —intervino secamente mister Kent—. Hemos venido a investigar.

El viejo egiptólogo pareció complacido.

—¿Qué os había dicho? —exclamó dirigiéndose a sus ayudantes—. ¡Los investigadores de Eye International son los mejores del mundo! ¡Ya veréis cómo daremos con el quid de este misterio! —Luego se volvió hacia mister Kent—. ¿Por dónde prefiere empezar, detective?

—Obviamente, por el principio.

A la luz de las linternas halógenas, el profesor Marchand comenzó a explicar la sucesión de acontecimientos que se había producido desde que habían emprendido el viaje hacia el Valle de los Reyes, más o menos un mes atrás.

Marchand y sus ayudantes habían seguido las indicaciones de un antiguo papiro, conservado en un museo de El Cairo, que hablaba de un faraón maldito. Su tumba, la número 66, según la clasificación de las autoridades egipcias, tenía que estar en el valle. Enseguida iniciaron los trabajos de excavación: días y días bajo el sol ardiente sin hallar ni un miserable trozo de cerámica. Hasta que un día, Tafir, el director de las excavaciones, soltó un grito de alegría. Todos habían corrido para ver qué había descubierto y se quedaron con la boca abierta ante la gran tablilla de arcilla que afloraba entre las rocas calcáreas.

—Tafir —murmuró Agatha para sí misma—. ¡He aquí el nombre del cuarto hombre!

Quería decírselo inmediatamente a Larry, pero en aquel momento tomó la palabra el doctor Frank, que describió con un montón de términos enrevesados las técnicas utilizadas para recuperar la tablilla. Debido a la consistencia de la arcilla, extraerla había exigido una precisión de cirujano. Hasta una semana después no pudieron trasladarla al laboratorio para examinarla.

—Enseguida nos convencimos de que se trataba de un hallazgo sensacional —intervino entonces el doctor Wroclaw—. ¡Les juro que en toda mi carrera no había visto nada semejante!

—¿Se refiere a los jeroglíficos invertidos? —preguntó Agatha inesperadamente.

De nuevo, en los rostros de los tres estudiosos se dibujó una expresión de estupefacción, muestra de que la suposición de Agatha era correcta.

—Sí, a esos jeroglíficos —admitió con tristeza Wroclaw—. Completada la limpieza de la tablilla, aquella misma noche empecé a descifrar algunas frases…

—¿Y cuál era el argumento? —lo interrumpió mister Kent.

—Una tumba suntuosa que los sacerdotes habían trasladado en secreto a este valle después de una sublevación popular —murmuró Wroclaw—. Por desgracia, no tuve tiempo para descubrir la posición de la entrada.

—A aquellas horas ya no nos teníamos en pie de sueño, ¿saben? —continuó el profesor Marchand—. De modo que decidimos posponer el estudio hasta el día siguiente.

—Pero por la mañana la tablilla había desaparecido —puntualizó Agatha.

—Y los dos excavadores..., ¡puf!..., se habían esfumado —ironizó Larry.

La reacción de Wroclaw fue rabiosa.

—¡Querrás decir los dos despreciables ladrones, jovencito! —dijo mientras daba un puñetazo sobre la mesa—. ¡Nos robaron la tablilla ante nuestras mismas narices mientras dormíamos!

Larry frunció la frente, algo intimidado, mientras Frank sacaba otro helado de la nevera y lo desenvolvía nerviosamente.

Se palpaba la tensión.

—Le ruego que no saque conclusiones precipitadas, doctor Wroclaw —dijo con mucha calma mister Kent—. La investigación aún está en sus inicios.

Agatha lo confirmó con un movimiento de la cabeza.

—¿Alguien los vio huir? —preguntó.

Aguijoneado por la pregunta, Marchand se puso a caminar alrededor de la mesa.

—Aquella noche estaban de guardia Tafir y tres trabajadores —explicó—. Los interrogamos, pero afirman que nadie pasó por el puesto de control.

—Me juego lo que sea a que los ladrones treparon por las colinas —gruñó de nuevo el doctor Wroclaw—. Os juro que si los pillo...

—Bien, éste es el cuadro de la situación —concluyó apresuradamente el profesor Marchand—. ¿Cómo les podemos ayudar, amables señores?

Agatha repiqueteó con los dedos en la punta de la nariz, como hacía siempre que su imaginación echaba a volar.

Unos segundos después, esbozó una amplia sonrisa.

—Primero tenemos que hablar en privado —dijo—. Si no les importa, volveremos dentro de un rato para contarles cómo procederemos.

Los estudiosos no tuvieron más remedio que asentir.

Entonces, los tres detectives se levantaron de sus sillas y abandonaron el pabellón con una indiferencia muy profesional.

6. LA MALDICIÓN DEL FARAÓN

En cuanto salieron del pabellón, Agatha se puso a caminar de un lado para otro, reflexionando con la cabeza gacha y con el flequillo tapándole los ojos.

—Algo se me escapa —murmuró—. Aún no sé qué es, pero un buen paseo podrá ayudar a aclarar las ideas —concluyó levantando la cabeza—. Así que propongo que inspeccionemos de inmediato el yacimiento arqueológico.

Larry y mister Kent la siguieron unos pasos más atrás e iluminando con las linternas. Pasaron ante una caseta de herramientas, detrás de la cual estaba aparcado un todoterreno descapotable de color verde oliva. Después llegaron a la cantera donde habían descubierto la tablilla; estaba cerrada con una reja de alambre espinoso en la que habían colocado un cartel que ponía «sólo personal autorizado». Continuaron a los pies de las paredes verticales de los cerros y superaron un trozo de terreno rocoso que daba a la única entrada del valle.

Allí estaba el puesto de control, vigilado por un grupo de *fellah* armados con fusiles.

En veinte minutos habían dado la vuelta entera al perímetro del valle, pero Agatha no parecía satisfecha. Trepó con agilidad a una gran roca plana y miró pensativa a su alrededor.

Mister Kent y Larry sabían que su cerebro trabajaba a pleno rendimiento.

—¡Sólo hay una posibilidad! —exclamó de repente Agatha.

—¿Qué posibilidad? —le preguntó Larry.

Agatha saltó de la roca.

—Un par de cosas —empezó—. Primera, es evidente que los dos excavadores se largaron piernas para qué os quiero sin pasar por el control, lo que los hace muy sospechosos —concluyó—. Segunda...

—¿Segunda? —repitió Larry, que estaba pendiente de lo que decía.

—Esos dos seguramente tenían un cómplice —dijo Agatha mientras se agachaba para acariciar a Watson.

—¿Un cómplice? —se sorprendió el joven detective, que se frotó el cabello con la mano, muy confuso—. ¿Qué te hace pensar eso?

—Empecemos por el móvil, Larry —respondió Agatha—. Admitamos que los dos excavadores han robado la misteriosa tablilla. ¿Qué hacen con ella?

—Ah, no lo sé —balbució él—. Podrían venderla a un coleccionista o introducirla en el mercado negro.

—No se trata de un puñado de joyas, querido primo —le hizo ver Agatha—. Sólo un experto sería capaz de apreciar su valor real.

Él se dejó caer sobre una gran piedra.

—Es verdad, ¿para qué robar una tablilla repleta de oscuras inscripciones? —suspiró—. Aunque sea un pieza interesante, únicamente sirve para encontrar la tumba…

—Exacto —dijo muy satisfecha Agatha—. Además, el ladrón tiene que ser una persona que sepa que la tablilla es muy delicada. Si esos dos treparon por estas colinas tan empinadas, tuvieron que adoptar muchas precauciones para evitar que se rompiera. Alguien con cierta experiencia tuvo que explicarles cómo hacerlo —concluyó—. Así que la lista de sospechosos se reduce a cuatro personas: ¡Tafir y nuestros amigos egiptólogos, obviamente!

—Pero… ¡si son ellos quienes nos han avisado! —protestó Larry—. ¿Cómo pueden ser cómplices de un robo?

—Los cuatro son expertos en la materia, y todos tienen buenas razones para querer la tablilla en exclusiva. —Agatha se interrumpió para observar a sus compañeros.

Su larguirucho primo se pasaba frenéticamente una mano por el pelo, mientras que mister Kent se frotaba su cuadrada mandíbula.

—Ya lo entiendo —dijo Larry al fin—. Quien primero encuentre la tumba del faraón maldito entrará directamente en el Olimpo de la arqueología.

Mister Kent fue más expeditivo.

—¿El plan, miss Agatha? —preguntó.

La chica midió cuidadosamente sus palabras.

—Escuchadme bien. Lo mejor es separar a los sospechosos en dos grupos: por un lado, Tafir y, por otro, los egiptólogos. Debemos tenerlos ocupados mientras buscamos pruebas irrefutables contra el cómplice.

Larry y mister Kent estuvieron de acuerdo en que era muy buena idea. Sólo había un gran obstáculo.

—¿Cómo nos las arreglamos para separarlos y mantenerlos entretenidos, prima?

—Inventemos algo —propuso Agatha mientras se sentaba—. A ver, a ver...

Los tres detectives discurrieron animadamente durante unos cuantos minutos, consultando de vez en cuando los mapas por satélite en el artefacto de Larry.

Finalmente llegaron a una conclusión. Era una solución arriesgada, porque necesitaban dominar la situación y resultar convincentes.

Con un gesto de complicidad, avanzaron seguros por el callejón empedrado que discurría entre las tiendas de los trabajadores, los cuales roncaban como una orquesta de trombones desafinados.

—Mirad, ya vuelven —anunció el doctor Frank volviéndose hacia sus compañeros, que estaban en la cocina.

Se sentaron todos alrededor de la mesa, y Agatha inició con un tono formal el discurso que habían planificado.

—Gracias a las imágenes por satélite, el agente LM14 ha localizado a los dos fugitivos en el pequeño oasis de Abu Siban, a cincuenta kilómetros al este de aquí, en medio del desierto.

Mentía descaradamente, pero sin dar la menor impresión de que lo estaba haciendo. Era otra de las habilidades de Agatha.

—Mañana por la mañana cogeremos el todoterreno y los fusiles —continuó mister Kent, siguiendo el juego a la perfección—. Los atacaremos por sorpresa y volveremos con la tablilla antes de que oscurezca.

Los estudiosos soltaron un grito de alegría. Estrecharon la mano al mayordomo y le dieron unos golpecitos en el hombro. Sólo el doctor Wroclaw decidió no acercarse mucho al imponente detective.

—Mientras, nosotros trabajaremos en el laboratorio —comentó con alegría el profesor Marchand, que parecía haber rejuvenecido veinte años—. ¡Y por fin descubriremos el sepulcro del faraón! —Pero su felicidad se esfumó cuando Agatha meneó la cabeza.

—Querido profesor —le dijo con mucha educación—, el agente LM14 necesita el apoyo de todos ustedes en la misión.

—¿Qué? —refunfuñó entre dientes el doctor Wroclaw—. ¿Por qué precisamente nosotros?

—Ustedes conocen a los dos excavadores y hablan su lengua —observó Agatha.

Mister Kent endureció su maciza mandíbula.

—¿Prefieren correr el riesgo de que los ladrones vuelvan a escapar? —los exhortó con un vozarrón que no admitía réplica.

Inmediatamente, los tres estudiosos dejaron de lamentarse.

—Bien, ahora que ya está todo decidido, pasemos a las cosas importantes —intervino Larry—. ¿Dónde dormimos nosotros esta noche? —Se había recostado con la espalda contra el congelador y no paraba de bostezar.

Agatha cogió la ocasión al vuelo.

—Podríamos alojarnos en la tienda de los excavadores desaparecidos —propuso a Marchand. Esto proporcionaría la ocasión perfecta para empezar a investigar de inmediato—. ¿O la ocupan otros huéspedes?

—No, no, está vacía —titubeó él—. Pero la hemos dejado patas arriba. ¡Hay un desorden terrible!

—No importa —dijo Agatha guiñando el ojo.

—Entonces haré que el doctor Frank les acompañe inmediatamente —replicó el profesor—. ¿Les parece bien que desayunemos mañana a las siete?

Agatha tiró de Larry por un brazo.

—Conociendo a este gandul, mejor a las siete y media —dijo en broma.

Todos se desearon buenas noches.

El doctor Frank cogió otro helado y los escoltó fuera del pabellón mientras silbaba con despreocupación.

Mister Kent, que llevaba las alforjas y una silla plegable que había cogido en la cocina, cerraba la fila.

Entre bocado y bocado, el doctor Frank no paraba de regalar cumplidos a Agatha.

—¡Una perspicacia extraordinaria! ¡Ñam, ñam! ¡Un olfato excepcional! —decía—. ¿Cómo han logrado rastrear a los ladrones tan deprisa?

—Todo el mérito es de nuestro maestro —aclaró ella mientras dirigía una mirada al mayordomo.

—¡Ah, es modesta la señorita!

El estudioso se rio, y su flácida barriguita sobresalió por encima del cinturón. Luego se detuvo ante una tienda completamente torcida y corrió la cremallera con un golpe seco.

—¡Aquí tenéis vuestro palacio! —dijo—. Si necesitáis agua, allí abajo está la cisterna. ¡Que durmáis bien!

—Por fin se ha ido —susurró Agatha mientras metía la cabeza en la tienda.

Larry se tumbó sobre una litera y comenzó a roncar, mientras que mister Kent se había acomodado en la silla plegable.

—¿Qué hacéis, holgazanes? —les gritó Agatha—. ¡He pedido que nos alojaran aquí para buscar pistas! ¡No para dormir!

Mister Kent abrió los ojos como platos y se puso en pie de un salto.

—¡Sí, miss Agatha! —dijo rápidamente.

Larry, en cambio, no se movió ni un milímetro.

—¿No podemos dejarlo para mañana? —se lamentó con voz cavernosa.

—No, Larry.

Con los ojos reducidos a dos delgadas rendijas, el chico se desplazó a un rincón de la tienda, balanceándose como una momia.

—Perdonad, pero no me aguanto en pie... —añadió antes de desplomarse sobre la ropa que habían dejado los excavadores.

Un momento después ya volvía a dormir.

—Tendremos que apañárnoslas nosotros dos solos, mister Kent —suspiró Agatha.

Él asintió e iluminó la tienda con la linterna.

En medio de aquel desorden, vieron una serie de muestras de objetos decorativos egipcios: copas, pequeñas ánforas, posavasos y estatuas con representaciones de faraones y divinidades.

—Muy curioso —comentó el mayordomo.

Agatha le dio la vuelta a una estatuilla y se echó a reír cuando vio la etiqueta «Made in China».

—Me parece que nuestros excavadores eran también vendedores de recuerdos —observó mientras repiqueteaba en la punta de la nariz con los dedos—. Entre nosotros, este detalle me hace pensar…

—¡AAAHHHH! —gritó en aquel momento Larry—. ¡Maldito gato!

Watson fue a refugiarse detrás de su dueña.

—¿Qué ha pasado? —preguntó Agatha.

—¡Esta bestia me estaba lamiendo una oreja! —gritó Larry—. Mirad, tocad... ¡la tengo toda mojada! —De pronto, se interrumpió—. ¿Por qué me miráis así? —preguntó.

Agatha le arrancó un papel que se le había pegado en la mejilla.

—¿Qué son todos esos recuerdos? —preguntó.

Su prima dejó la estatuilla que tenía en la mano y examinó el papel. En él había escrita una frase amenazadora, formada con recortes de diario.

MISERABLES FELLAH,
LA maldición **DEL FARAÓN**
OS CASTIGARÁ *si no os*
VAIS *antes del* **ALBA.**

Agatha sintió que le saltaba el corazón.

—Esto cambia todas las cartas de la baraja —murmuró emocionada—. ¡La tablilla aún está aquí! ¡Nadie la ha robado! ¡Todavía está aquí!

97

7. En Egipto lo hacen todo al revés

Al día siguiente por la mañana, los tres detectives se despertaron con los ojos hinchados por la falta de sueño, pero sabiendo que habían dado grandes pasos en su investigación.

El descubrimiento del mensaje escrito con recortes de diario exculpaba a los dos excavadores.

En una ocasión, Agatha había leído un libro sobre las maldiciones egipcias. La del faraón Tutankamón, por ejemplo, era la más famosa. Era evidente que aquellos dos pobres hombres habían abandonado la excavación a toda prisa y sin decir nada a nadie, atemorizados por la maldición.

Ellos no eran los ladrones de la tablilla.

Así pues, sólo quedaba una conclusión: el valioso hallazgo permanecía oculto en el campamento.

—Tienes que entretener a los egiptólogos todo lo que puedas —recomendó Agatha a mister Kent—. Si encontramos la tablilla desaparecida, también sabremos quién la ha robado, ¿verdad, Larry?

—¿Ah, eh? ¿Cómo? —respondió el chico, aún medio dormido.

—Muy bien, miss Agatha —contestó el mayordomo mientras se hacía el nudo de la corbata al estilo James Bond.

Eran las 7.25.

Se dirigieron a la explanada que había delante del pabellón, donde el doctor Frank, que vestía un gracioso delantal bávaro, servía el desayuno a los egiptólogos, sentados a una mesa redonda.

—Café solo y *krapfen* de chocolate —dijo riendo con buen humor—. ¡Necesitamos una bomba energética para afrontar una misión como ésta!

El doctor Wroclaw parecía disgustado.

—En Polonia, para desayunar comemos tortilla, salchichas de Fráncfort y ensaladilla rusa —comentó ácidamente.

Marchand tomó una taza de café y se alejó para hablar con Tafir.

—Mientras nosotros estemos fuera, él se ocupará de la seguridad en el campamento —comentó.

Los dos primos Mistery intercambiaron miradas de complicidad.

Cuando el profesor regresó, mister Kent ya había puesto en marcha el motor del todoterreno. Wroclaw, con la espalda recta, llevaba el fusil en bandolera. Frank, en cambio, llevaba consigo un envase familiar de helado, que pronto se desharía bajo el sol.

—Ya podemos irnos, detective —anunció Marchand mientras subía al coche—. ¡Hasta luego!

—*Bon voyage!* —lo despidió Agatha.

Un momento después, los neumáticos chirriaron sobre la grava y el todoterreno desapareció en medio de una gran polvareda.

—¡Ahora nos toca a nosotros! —exclamó Agatha, muy contenta.

—¿Cómo nos organizamos? —preguntó Larry—. ¡Tenemos que evitar que Tafir esté pendiente de nosotros todo el tiempo!

—Tienes razón —dijo su prima—. Primero daremos una vuelta por la cantera y después inspeccionaremos el resto del campamento en busca de pistas.

Y así lo hicieron.

Llegaron al mostrador de Tafir, que estaba bajo un cobertizo, a un lado de la excavación. Los trabajadores apisonaban las piedras y luego le llevaban sacos llenos de piedrecitas desmenuzadas. Él las examinaba con un monóculo de orfebre y hacía que otros trabajadores limpiasen el mostrador.

Todo el material descartado iba a parar a un montículo próximo situado fuera de la zona vallada.

—Buenos días, señor Tafir —dijo Agatha—. ¿Cómo va el trabajo?

—Como siempre —resopló el director—. No hay nada de interés.

—Larry y yo tenemos el día libre, ¿quiere que le ayudemos?

—¿Es que no habéis leído el cartel? —contestó él sin levantar la cabeza—. Dice: «Sólo personal autorizado».

Agatha fingió una profunda desilusión.

—Qué lástima, tenía curiosidad por aprender su noble oficio.

Tafir apartó el monóculo y miró a los dos chicos.

—Tal vez después de comer os pueda enseñar cómo se reconoce una pieza arqueológica —concedió—. Pero ahora dejadme trabajar...

—¡Muchas gracias, señor Tafir! —dijo Agatha alegremente—. ¡Muy amable por su parte!

El director volvió a colocarse el monóculo.

Agatha y Larry se alejaron sabiendo que tenían el día libre, al menos hasta la hora de la comida: nadie controlaría sus movimientos.

—¿Por dónde empezamos, primito? ¿Por la tienda de Tafir o por el pabellón? —preguntó Agatha.

—En la escuela nos han enseñado a excluir primero las hipótesis más remotas —contestó Larry—. Así que propongo empezar por el pabellón.

—¿Por las habitaciones o por el laboratorio?

—Empecemos por las habitaciones.

Entraron en el pabellón con los ojos dilatados por la curiosidad: era la primera vez que se encontraban solos en las estancias de los egiptólogos. Pasaron por la cocina y se dirigieron rápidamente al dormitorio.

El espacio constaba de tres reservados divididos por juncos entrelazados; había tres camas, tres mesillas de noche y tres pequeños armarios.

Agatha lanzó una mirada interrogativa a su primo.

—Y ahora, ¿qué aconsejan en la escuela de detectives?

—Buscar siempre en los lugares menos obvios

—contestó Larry con una sonrisa—. ¿Pretendes comprobar si he seguido bien las clases, Agatha?

—¡Un repaso no te vendrá nada mal!

Miraron debajo de las camas, y sólo encontraron una fina capa de polvo. Palparon los colchones y las almohadas. Nada. Luego abrieron los armarios y verificaron que no tenían doble fondo.

Nada de nada.

—Es difícil que la tablilla esté escondida precisamente aquí —comentó la chica—. Pero podría haber pistas...

Larry registró con cuidado los cajones. En la mesilla de noche de Marchand, bajo un fajo de papeles, encontró una pistola de tambor, cargada y perfectamente engrasada.

—Qué modelo más raro —dijo sin tocarla—. Cógela, tú eres la experta.

Agatha la cogió con un pañuelo, para no dejar huellas, y la examinó.

Larry ya sabía qué diría.

105

—¿Has abierto un cajón de la memoria, prima? —preguntó con ironía.

Ella sonrió, siguiendo el juego.

—Si la memoria no me falla, primo, es una Luger alemana de la Segunda Guerra Mundial. Hay una enciclopedia sobre armas en la biblioteca de Mistery House —explicó—. Tal vez el profesor sea un coleccionista de pistolas de época.

—De momento, ésta es la única cosa extraña digna de interés —manifestó Larry—. ¿Para qué necesitará una pistola Marchand? A lo mejor esto quiere decir que tiene malas intenciones...

Agatha lo confirmó con un movimiento de cabeza y dejó el arma en el cajón.

Durante una media hora siguieron pasando revista a los efectos personales de los tres estudiosos, leyendo cuadernos, cartas y contratos sellados, y después se encaminaron hacia el laboratorio.

Era la mayor sala de todo el pabellón y éstaba llena de libros y de instrumentos para analizar piezas arqueológicas: microscopios, balanzas electrónicas, centrifugadoras, lámparas de infrarrojos y una infinita cantidad de jeringuillas, pipetas, pinzas y reactivos químicos.

—Yo compruebo los armarios —propuso Larry.

—Muy bien, primo —respondió Agatha, ligeramente sorprendida por tanta iniciativa—. Pero procuremos no dejar ningún rastro.

Cada uno de ellos cogió un par de guantes estériles de la mesa de trabajo y se los pusieron.

Desde pequeña, Agatha se divertía jugando en el laboratorio de sus padres y tenía cierta familiaridad con los métodos de análisis. Allí parecía como si toda la maquinaria hubiera permanecido inutilizada tras el robo de la tablilla. Había miles de pistas que recoger, pero una búsqueda sistemática requería mucho tiempo.

Al mediodía recapitularon.

—¿Has encontrado algo? —preguntó Larry—. Yo no...

—Desgraciadamente, no; necesitaría un siglo para examinarlo todo...

—Pero a nosotros sólo nos queda un día y medio, y después me suspenderán —le recordó el chico, abatido.

Agatha intentó reconfortarlo.

—Mira la parte positiva. Si aquí no hay nada, es probable que encontremos algo en la tienda de Tafir...

—Muy bien, pues, entonces, ¡continuemos!

Agatha arrojó los guantes al cesto y se dispuso a seguirlo fuera del laboratorio. En la puerta se detuvo para llamar a Watson.

El gato aún permanecía hecho un ovillo sobre la mesa de trabajo. Tenía todo el pelo lleno de polvo.

—¡Espera, Larry! —exclamó Agatha—. ¡He tenido una idea!

Cogió la lámpara de infrarrojos y la puso sobre la mesa. Cuando apretó el interruptor, Watson salió corriendo con la cola enhiesta.

—¿Qué haces, prima?

—¿Por qué no se me habrá ocurrido antes? —murmuró Agatha—. ¡La tablilla permaneció aquí encima durante todo un día!

—¿Y qué?

—La lámpara de infrarrojos puede identificar partículas de arcilla —respondió Agatha—. ¡Fíjate!

Unos pocos segundos después, un ligero polvillo apareció en los rincones de la mesa de trabajo.

Agatha levantó los brazos en señal de victoria. Sin perder tiempo, aspiró el polvo con una jeringuilla, lo puso en un frasco y lo metió en la centrifugadora.

—Esta especie de peonza giratoria nos dirá su composición química exacta —afirmó satisfecha.

—Perdona, pero ¿para qué queremos saber la composición química? —preguntó Larry, que estaba algo perdido.

—¡Para encontrar la tablilla, querido primo!

Cuando la centrifugadora se detuvo y en la pantalla apareció una secuencia numérica, el rostro de Larry se iluminó.

—¡Eres genial, Agatha! —dijo mientras cogía el EyeNet. Luego, hizo que pasaran muy deprisa las pantallas del artefacto—. Sólo tengo que configurarlo —murmuró—. ¡Un momento, espera que encuentre la función!

Cuando estuvo listo, Agatha le dictó la secuencia de números. Después salieron del pabellón sin perder de vista el pequeño monitor, esperando que apareciese en él una señal.

Larry empezó a caminar, seguido de Agatha, hasta que, cuando estaban junto a la cantera, el EyeNet emitió un inequívoco ¡BLIP!

—¡A la cantera! —gritaron al mismo tiempo los primos Mistery.

Echaron a correr como almas en pena. Todos los trabajadores comían, excepto Tafir, que examinaba un pedrusco con el monóculo.

Los dos detectives se agacharon y continuaron a gatas, protegidos por las hileras de tiendas. Comprobaron otra vez el EyeNet: la señal provenía del montículo que formaban las piedrecitas descartadas. Mejor, así no se verían obligados a salvar el alambre espinoso. Sin que los viesen, llegaron a la parte posterior del montículo.

—La tablilla está aquí debajo, ¡excavemos! —murmuró Larry. Dejó su artefacto en el suelo, hundió las manos en la grava y excavó numerosos agujeros. Cuando empezó a jadear de cansancio, se volvió hacia Agatha, que permanecía quieta con el EyeNet en las manos.

—¿Por qué no me ayudas? —le preguntó.

Agatha parecía desilusionada.

—Larry, fíjate bien en el EyeNet —susurró mientras le entregaba el artefacto.

Su primo observó la pantalla y enmudeció en el acto: señalaba la presencia de arcilla en una zona demasiado amplia para una tablilla.

—La han pulverizado —dijo Agatha—. Ya no existe. Alguien la ha destruido.

Él se dejó caer de espaldas y contempló el cielo azul.

—Fin de la investigación —suspiró amargado—. Y fin de mi carrera de detective.

Ambos permanecieron en silencio unos cuantos minutos.

Entonces, de reojo, Larry vio que Agatha recogía unos pequeños cilindros entre las piedras.

—¿Has visto estas velas? —preguntó la chica—. Las han encendido por el extremo equivocado...

—¿Eh? ¿Qué quieres decir?

—Tienen el tronco consumido, mientras que la mecha está entera.

Larry cogió un cabo de vela de los que había desperdigados entre las piedras.

—Debe de ser una costumbre egipcia —comentó con un hilo de voz—. Aquí lo hacen todo al revés...

Agatha lo miró.

—¿Qué has dicho, Larry? —preguntó.

—Que aquí, en Egipto, lo hacen todo al revés —repitió él con tono impaciente.

Agatha se puso las manos en la frente, como si la hubieran fulminado.

—¡Pues claro! —exclamó—. ¡Al revés! ¡Aquí está la solución del enigma!

8. EL INDIONIGRO CONTRAATACA

A las siete de la tarde, el todoterreno conducido por mister Kent había empezado a derrapar en medio de una furiosa tormenta de arena que se había iniciado al mediodía en el pequeño oasis de Abu Siban.

El grupito formado por mister Kent y los tres egiptólogos había permanecido en el palmeral el tiempo necesario para inspeccionar el único edificio de ladrillos y el pozo que había delante de él.

No había nadie.

—Los ladrones han escapado —había dicho enfadado el doctor Frank—. ¡Hemos hecho todo este camino en vano!

Riendo por debajo de la nariz, mister Kent había sugerido que volviesen al campamento base para obtener nuevas imágenes por satélite.

Durante el camino de vuelta, la arena se levantó formando remolinos tan altos que cegaban la visión.

De repente, el profesor Marchand estiró un brazo hacia adelante.

—¡Cuidado con las rocas, agente! —gritó.

En los asientos posteriores, Wroclaw y Frank se protegieron instintivamente la cara, convencidos de que chocarían contra las piedras que obstaculizaban la pista.

Mister Kent, en cambio, esquivó el obstáculo como un experto piloto de rallies.

—No se preocupen, señores —dijo con voz firme—. Cuando lleguemos a las colinas estaremos seguros.

Tal como había previsto, la furia de la tormenta amainó en cuanto llegaron a las primeras colinas,

y al cabo de una hora de rampas y volantazos, el todoterreno frenó en seco ante el pabellón.

Eran las ocho de la tarde y soplaba un viento cálido. Mientras bajaban del todoterreno, los egiptólogos continuaron tosiendo y sacudiéndose la arena de la ropa.

—¿Y la tablilla? —dijo enseguida Agatha—. ¿Y los excavadores?

—Misión fracasada —refunfuñó Wroclaw—. En el oasis no había ni un alma.

Los otros dos estudiosos suspiraron.

Agatha simuló sentirse abatida y después se volvió para guiñar el ojo a su mayordomo.

—Han escapado —dijo mister Kent en voz alta—. Tengo que pedir a la agencia más imágenes de sus desplazamientos.

—Primero deberían refrescarse, señores —propuso Agatha—. ¡Larry está horneando un pastel de carne exquisito!

Los estudiosos olfatearon el agradable olor procedente de la cocina y se dirigieron a sus habitaciones para cambiarse de ropa rápidamente.

Mientras, Agatha, Larry y mister Kent cuchichearon en voz baja. La muchacha informó al mayordomo de sus descubrimientos y le preguntó dónde estaban los fusiles.

—Todavía están en el todoterreno, miss Agatha —contestó él—. Si quiere, voy a buscarlos.

Pero el profesor Marchand irrumpió en la cocina justo en aquel momento.

—¿A buscar qué? —preguntó suspicaz.

Larry bajó la cabeza, aparentando que miraba cómo se cocía el pastel, mientras que Agatha procuraba inventar una excusa.

—¡El postre! —dijo sonriendo—. ¡Hemos preparado un postre sorpresa!

En cierto sentido, era verdad.

Ella y Larry se habían pasado toda la tarde preparando la trampa para cazar al culpable.

Marchand observó con expresión inquieta la mesa puesta y se sentó.

—¿Por qué hay un asiento de más? —preguntó de nuevo.

Agatha procuró conservar la sangre fría.

—Hemos pensado invitar también al señor Tafir, si no le importa —replicó.

—No, al contrario —concedió el profesor.

Entonces la muchacha se relajó y ayudó a su primo a servir el pastel. También se sentaron a la mesa Wroclaw y Frank; luego llegó Tafir, que tomó asiento en medio de un incómodo silencio.

—Buen provecho —dijo Agatha alegremente. Pero, en vez de comer, se puso a estudiar en secreto el comportamiento de los comensales.

Larry y mister Kent también picaban nerviosamente del plato.

Cuando los cuatro sospechosos acabaron de comer, Agatha se puso en pie.

Había llegado el momento de la verdad.

—Ejem. —Se aclaró la voz esperando que todos la mirasen.

—¿Le ocurre algo, señorita? —preguntó campechanamente el doctor Frank al tiempo que se aflojaba el cinturón.

—Distinguidos señores, tengo que explicarles lo que sucedió la noche en que desapareció la tablilla —comenzó ella.

Marchand estuvo a punto de derramar el vaso de vino.

—¿Ahora les da a las niñas por hacer de detectives? —preguntó con tono irónico.

Agatha vaciló un momento y buscó con la mirada a Larry y a mister Kent, que le hicieron una señal para que siguiese.

—Nuestra historia se inicia en la tarde de hace tres días, cuando por fin trajeron la tablilla al laboratorio para limpiarla —prosiguió decidida—. Mientras el doctor Wroclaw empezaba a traducir las inscripciones, fuera corría la voz de los extraños jeroglíficos invertidos, y los trabajadores más asustadizos ya hablaban de la maldición del faraón.

—Por Anubis, ¿cómo lo sabe? —intervino Tafir con expresión de asombro.

Agatha no le contestó y siguió centrada en su discurso.

—Algo más tarde, dos excavadores volvieron a su tienda y encontraron una nota que los atemorizó —siguió con la voz cada vez más decidida—. Esperaron a que se hiciese de noche y escaparon del campamento trepando por las colinas.

—¡Qué dice esta niña! —exclamó Wroclaw—. ¡Esos dos nos robaron la tablilla!

Agatha movió la cabeza y enseñó la nota con la frase incriminatoria.

—Distinguidos señores, ¡este papel lo dejó uno de ustedes cuatro en la tienda de los excavadores!

Los estudiosos dieron un bote en sus sillas e intercambiaron miradas cargadas de tensión y sospecha.

—¿Cómo está tan segura de ello, señorita? —preguntó Frank.

—¡Alguien quería culparlos del robo, querido doctor! —respondió Agatha con calma—. Pero prosigamos. Ya avanzada la noche, cansados del largo día de trabajo, se retiraron a sus habitaciones. Pero uno de ustedes no se durmió. Esperó a que el campamento estuviese tranquilo y recogió los objetos necesarios para realizar su deshonesto plan. —Se volvió hacia Marchand—. Para mayor seguridad, llevaba una pistola.

—Pero ¿de qué pistola habla, señorita? —saltó el viejo egiptólogo.

—¿Tal vez la suya, profesor? —replicó Agatha—. Entre nosotros, esto carece de importancia —prosiguió—. El objetivo del hombre misterioso era el montículo que hay allí abajo, en la cantera, donde se apilan las piedras descartadas. Un lugar perfecto para asegurarse de que nadie pudiese encontrar la tablilla. —Tomó aire durante un momento, entrecerrando los ojos—. El hombre cortó las puntas de las velas que había llevado consigo y empezó a fundir pacientemente la cera. El líquido caliente penetró en las fisuras de los jeroglíficos, y así obtuvo un calco de la tablilla. De esta forma, las inscripciones se invirtieron y adoptaron el sentido correcto, lo que le permitiría descifrarla con mayor facilidad...

—¡Pero eso es una barbaridad! —exclamó Marchand—. ¡Se puede obtener el mismo resultado utilizando el ordenador!

—Ésta es la cuestión, profesor —lo rebatió tranquilamente Agatha—. La intención del hombre misterioso era borrar para siempre las inscripciones de la tablilla. De hecho, en cuanto la cera se enfrió, redujo la tablilla a polvo. Luego escondió la copia en el único lugar donde se podía conservar

sin riesgo de que se deshiciese. Aquí en Egipto hace mucho calor, saben...

En aquel momento, el doctor Frank se puso en pie de un salto y desenfundó la Luger del cinturón. Evidentemente, la había cogido de la mesilla de noche de Marchand antes de acudir a la cocina.

—Permaneced todos quietos —ordenó mientras reculaba a pequeños pasos hacia el congelador—. ¡No sé cómo habéis conseguido descubrir mi secreto, pero ahora me obligáis a actuar sin contemplaciones!

—¡Frank! —se sorprendió Marchand—. ¿Es verdad lo que dice esta señorita?

—Sí, profesor. ¿Acaso piensa que soy tonto? —gruñó el estudioso—. Sé muy bien cómo funcionan estas cosas. Una vez hallada la tumba del faraón, usted se habría llevado todo el mérito, y nadie se hubiera acordado de mí. Y tampoco de usted, doctor Wroclaw, ¡estúpido molusco sin espina dorsal!

Los dientes de mister Kent rechinaron: el reclamo del ring empezaba a dominarlo. Agatha lo sujetó, mientras Frank lo apuntaba con la pistola.

—Ni un paso más —lo amenazó.

Larry se quedó petrificado: esta parte del plan no la habían previsto. La situación se estaba precipitando sin control.

Agatha se apresuró a intervenir.

—Cálmese, doctor Frank —dijo con voz firme—. Coja el calco y váyase en el todoterreno. ¡Le prometo que nadie lo seguirá!

Larry empezó a notar un sudor frío.

¿Qué decía su prima?

¿Se había vuelto loca?

—Acepto la oferta, señorita metomentodo —respondió Frank con tono burlón—. ¡Todos contra la pared, en silencio y sin moverse!

Sacó una cuerda de un pequeño mueble y la arrojó a sus pies.

—Átense unos a otros, ¡bien fuerte!

Mientras el estudioso abría lentamente la puerta del congelador, los otros obedecieron sus órdenes.

Alguien se movió.

—¡Les he dicho que no intenten hacerse los listos! —los amenazó el geólogo, agitando nerviosamente la pistola.

Sin apartar la vista de sus prisioneros, Frank metió la mano en el congelador, apartó las cajas de helado y llegó al fondo, donde había escondido el calco de cera.

—¡Ay! —gritó de repente—. ¿Con qué me he pinchado?

125

Hizo una mueca de dolor y se quedó allí quieto, con los ojos abiertos como platos y la pistola apuntando hacia adelante, paralizado por la poderosa toxina del *Indionigro petrificus*.

Agatha liberó sus muñecas de la cuerda y se acercó al culpable.

—¡En silencio y sin moverte te quedarás tú! —dijo alegre mientras le pellizcaba una mejilla.

—Pero ¿qué le ha pasado? —exclamó incrédulo el profesor Marchand—. ¡Parece momificado!

El doctor Wroclaw se desplomó al suelo víctima del susto, mientras que Tafir rezaba con voz temblorosa.

Larry y mister Kent corrieron hacia Agatha, exultantes: sin su brillante idea, nunca habrían superado aquella peligrosa situación.

La muchacha miró a Larry, satisfecha.

—¿Lo has visto, agente LM14? —dijo mientras le guiñaba un ojo—. ¡Hemos resuelto el enigma del faraón!

MISIÓN CUMPLIDA

En el punzante aire del amanecer, Agatha y sus compañeros ensillaban los dromedarios para emprender el viaje de regreso. En la explanada situada delante del pabellón los esperaban Marchand y Wroclaw, que mostraba por primera vez una expresión serena.

Los dos estudiosos habían examinado el calco durante toda la noche y habían fotografiado todos los jeroglíficos.

—Necesitaremos tiempo, acaso meses o años, pero pueden estar seguros: ¡encontraremos la entrada de la tumba del faraón! —dijo entusiasmado el viejo profesor.

—Esperaré con ansia
hasta que lea la noticia
en los diarios —se alegró Agatha.

También se unió a ellos Tafir, con
la túnica ondeando en el aire. Regaló
a cada uno de los investigadores un
símbolo de Anubis y les explicó que era un amuleto contra la mala suerte.

Los tres se lo pusieron y dieron las gracias al director con un gesto solemne.

Sólo faltaba el doctor Frank: lo habían esposado y esperaban a que llegara la policía para llevárselo.

En el momento de la partida, Marchand estrechó la mano de mister Kent hasta dejársela entumecida.

—Muchas gracias, agente —dijo con los ojos brillantes—. He comunicado a Eye International su excelente trabajo. No he entendido muy bien su respuesta, pero parecían contentos.

—¿Qué han dicho? —intervino Larry, a quien aquello le tocaba la fibra.

—Me parece que hablaban de un examen...

—¡Ah, oh! —dijo impaciente el chico—. ¿Y qué?

—Afirmaban que lo había superado con la nota más alta.

Larry esbozó una amplia sonrisa.

—¡Muy buena noticia, profesor Marchand!

Luego, los tres detectives se despidieron de los estudiosos y del director de las excavaciones y emprendieron el camino de regreso.

Esta vez fue Larry quien espoleó a su dromedario, sosteniendo las riendas con decisión. La noticia del aprobado había sido una panacea para su humor.

Una vez superadas las colinas, se detuvieron para admirar el paisaje: el amplio valle del Nilo con sus colosales monumentos, las embarcaciones de recreo que surcaban el gran río, los templos de Karnak y Luxor llenos hasta los topes de turistas.

Agatha señaló el pecho de Larry con un dedo.

—Tienes una llamada, primo —le dijo.

—¿Eh? ¿Qué? —replicó él, como si despertase de un sueño con los ojos abiertos.

—¡El EyeNet está sonando, Larry! —confirmó Agatha.

El chico desvió la mirada hacia la bandolera, que se estremecía y centelleaba con mil colores.

—¡Uf! ¿Qué querrán ahora? —dijo inquieto—. ¿Es que aún no se ha acabado el examen?

Se puso el artefacto en la oreja e impostó la voz.

—¿Sí? Habla el agente LM14.

Escuchó durante unos cuantos segundos sin entender nada, y luego empezó a balbucir.

—Ah, no, no cuelgues —dijo—. Soy Larry, sí... ¡Sí, sí, perdona, pero es que pensaba que era una broma!

Agatha y mister Kent lo observaban extrañados.

—La llamada es para ti, prima —dijo Larry mientras le pasaba el EyeNet a Agatha—. Tu madre, ¡parece que está hecha una fiera!

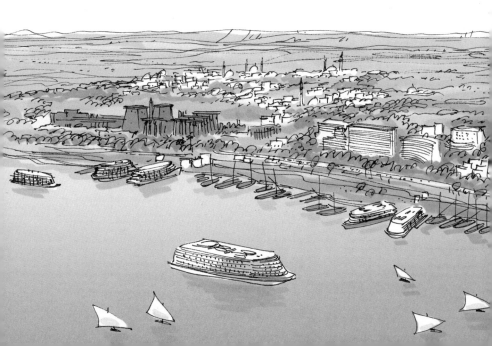

La chica arqueó una ceja y habló por el receptor.

—Hola, mamá.

—¿Dónde te has metido, Agatha? —preguntó Rebecca Mistery—. Acabamos de regresar de los Andes, hemos hecho escala en París y mañana llegaremos a Londres. Hemos llamado durante todo el día, pero en casa no contesta nadie...

—He ido de compras al centro —mintió Agatha.

—¿Has llevado contigo a Watson?

—Sí, mamá —contestó ella—. Quiero comprarle un collar nuevo, algo exótico...

Agatha acarició con los dedos el símbolo de Anubis: una cabeza de chacal.

—¿Y mister Kent? —se apresuró a decir Rebecca Mistery—. ¿Está contigo? ¿Cómo se encuentra?

—¡Radiante y silencioso, como siempre! —dijo Agatha riendo mientras dirigía la mirada al mayordomo—. Ahora tengo que dejarte, he encontrado una tienda de animales a la última moda. Nos vemos mañana, mamá, ¿de acuerdo?

Agatha acabó la conversación y puso los brazos en jarras.

—¿Tú sabías que volvían mañana, mister Kent? —preguntó indignada.

El mayordomo se rascó la frente.

—Me había olvidado, miss Agatha —admitió—. Le pido disculpas.

Resultaba extraño ver a un hombre del tamaño de un armario dominado por la vergüenza.

—No tiene importancia —lo perdonó Agatha—. ¡Aún eres mi mayordomo preferido!

Mister Kent se puso rojo como un tomate.

—¿A qué esperamos? —intervino Larry, vivaz—. ¡Venga, derechos para casa!

Aguijoneó al dromedario con un golpe en las ancas, pero en vez de seguir recto, el animal empezó a tumbarse gradualmente de lado, hasta que cayó redondo al suelo, con gran estrépito.

Las risotadas de Agatha y mister Kent resonaron por todo el Valle de los Reyes.

ÍNDICE

COLECCIÓN
AGATHA MISTERY

1. EL ENIGMA DEL FARAÓN

2. LA PERLA DE BENGALA

3. LA ESPADA DEL REY
DE ESCOCIA

4. ROBO EN LAS
CATARATAS DEL NIÁGARA

5. ASESINATO
EN LA TORRE EIFFEL

6. EL TESORO
DE LAS BERMUDAS

7. LA CORONA DE ORO
DE VENECIA

8. MISIÓN SAFARI

9. INTRIGA EN
HOLLYWOOD